Cuento para leer a oscuras

LOS DINOSAURIOS

Ignasi Valios i Buñuel

ANAYA

MIRA CÓMO ME MUEVO

SOY UN DINOSAURIO QUE ESPERA
SER MÁS ALTO QUE UNA PALMERA.

EL TRICERATOPS
COME VERDURA,
TIENE CUERNOS
Y ARMADURA.

EL TIRANOSAURIO,
DE DIENTES AFILADOS,
LOS MATA A TODOS A BOCADOS.

LOS BRAQUIOSAURIOS
SON DESCOMUNALES
¡Y SOLO COMEN VEGETALES!

LOS DIPLODOCUS TAMBIÉN LO SON,
PORQUE COMEN UN MONTÓN.

AL ANQUILOSAURIO
NO LE GUSTA LUCHAR,
PERO SI LE ATACAN...

LOS COMPSOGNATUS SON DIMINUTOS,

PERO VALIENTES Y ASTUTOS.

EL ESTEGOSAURIO
TIENE ASTAS EN LA COLA
Y UNA CRESTA QUE MOLA.

EL ESPINOSAURIO
ES EL CARNÍVORO MÁS PESADO,
PORQUE COME CARNE Y PESCADO.

EL IGUANODÓN ESTÁ INDEFENSO,
ES COMO UN PLATO INMENSO.

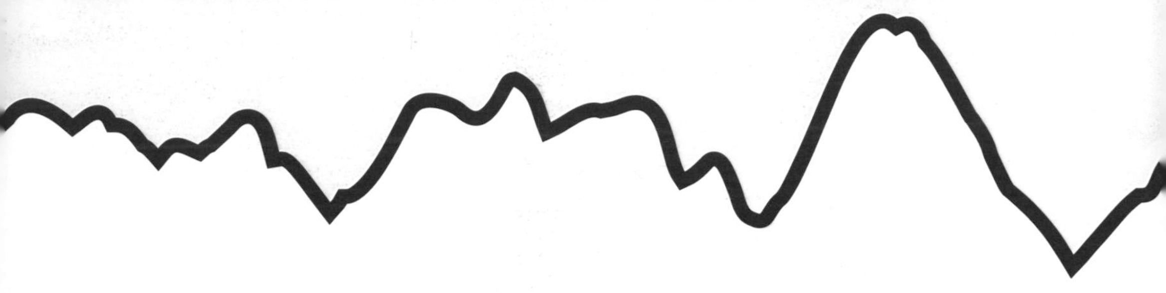

EL VELOCIRAPTOR, LISTO Y
DESPIERTO, CAZANDO EN GRUPO
ES UN EXPERTO.

EL PARASAUROLOPUS,
SI SE INQUIETA,
PARECE QUE TOCA LA TROMPETA:

¡TUUUUUUUUUT!

EL DILOFOSAURIO
ES MUY VISTOSO,
PERO MUERDE Y ES VENENOSO.

NO SON DINOSAURIOS,
PERO SON PARIENTES,
LOS QUE VUELAN, NADAN
Y TIENEN DIENTES.

EL PLESIOSAURIO VIVE EN EL MAR,
EL PTERANODON PREFIERE VOLAR.

EN LOS MUSEOS PODEMOS VER
LO GRANDES
QUE LLEGABAN A SER.

POR SUERTE, EL HOMBRE NO EXISTÍA.
¡NO HABRÍA DURADO NI UN DÍA!

Fotografía de la cubierta:
Linda Bucklin/Ozja/Shutterstock.com

© Ignasi Valios i Buñuel, 2014
© De esta edición: Grupo Anaya, S. A., 2014
Juan Ignacio Luca de Tena, 15. 28027 Madrid
www.anayainfantilyjuvenil.com
e-mail: anayainfantilyjuvenil@anaya.es

1.ª edición, octubre 2014
2.ª edición, junio 2016

Diseño de cubierta: Laia Salcedo

ISBN: 978-84-678-6728-2
Depósito legal: M-20766-2014

Impreso en España - Printed in Spain

En recuerdo de los que ya no están
con nosotros, como los dinosaurios.
Mientras sigamos pensando en ellos,
nunca desaparecerán del todo.